머 릿 말

이 책을 구매하신 어르신에게 감사의 인사를 먼저 올립니다. 이 책은 색칠하기를 위한 책으로 동화책 한 권을 담고 있습니다. 한 페이지씩 색칠하고 말풍선에 들어갈 말을 써주세요. 완성되면 어르신만의 동화책이 될 것입니다. 이 책을 완성하시면서 즐겁고 행복한 시간이 되기를 바랍니다. 자녀분들이나 손자들에게 선물로 주셔도 좋습니다. 자녀분들이 완성된 책을 보고 자랑스러워할 것입니다. 이 책은 색상샘플을 일부러 넣지 않았습니다. 무슨 색을 칠할지 고민하시고 무슨 말을 써야할지 생각하세요. 그러면 어르신들의 두뇌 활동에 큰 도움이 될것입니다. 사람이 나이가 들어 기억력이 감퇴하는 것은 지극히 당연한 일이며 두려워할 일이 아닙니다. 다만 노력하시어 더 오래 소중한 기억을 간직하시기 바랍니다. 누가 뭐래도 어르신들이 게시기에 오늘날의 우리가 있다는 사실을 잘 알고 있습니다. 항상 건강하시고 행복하시길 기원합니다.

옛날 어느 마을에 마음착한 동생 흥부와 심술맞은 형 놀부 형제가 살았습니다.

※ 말풍선에 들어갈 적당한 말을 적어주세요.

아버지가 돌아가신 후 형 놀부는 동생 흥부를 돈 한 푼 주지 않고 쫓아냈습니다.

※ 말풍선에 들어갈 적당한 말을 적어주세요.

어느 날 배고픈 흥부는 쌀을 얻으러 놀부의 집에 갔다가
형수에게 밥주걱으로 뺨을 맞습니다.

※ 말풍선에 들어갈 적당한 말을 적어주세요.

어느 날 흥부는 구렁이에게 공격당해 부러진 제비의 다리를 고쳐줍니다.

※ 말풍선에 들어갈 적당한 말을 적어주세요.

흥부가 박씨를 심자
박이 거대하게 아주 잘 자랐습니다.

※ 말풍선에 들어갈 적당한 말을 적어주세요.

흥부와 아내는 박을 자르자 그 안에서 많은 재물이 나와 흥부네는 부자가 되었습니다.

※ 말풍선에 들어갈 적당한 말을 적어주세요.

흥부네가 부자가 되자 배가 아픈 놀부는
지나가던 제비를 잡아 다리를 부러뜨리고
고쳐주었습니다.

※ 말풍선에 들어갈 적당한 말을 적어주세요.

다음해 놀부도 박을 키웠는데 그안에서 거지, 도둑, 도깨비가 나왔습니다.

※ 말풍선에 들어갈 적당한 말을 적어주세요.

그들은 놀부와 아내를 때리고 집을 파괴한 후 재물을 몽땅 가지고 갔습니다.

※ 말풍선에 들어갈 적당한 말을 적어주세요.

이후 놀부네는 개과천선하여 흥부네와 사이좋게 지냈습니다.

※ 말풍선에 들어갈 적당한 말을 적어주세요.

작 업 후 기

※ 작업완료 후 작업을 한 소감을 적어주세요.

이름 :